Hauptsache, dir gefällt's

Till Raether

NOVELLIX
— stories to go —

www.novellix.com/de

Novellix, Bondegatan 11, 116 23 Stockholm
info@novellix.com
Covergestaltung: Lisa Benk
Motiv: Caspar David Friedrich
Wiesen bei Greifswald bpk, Hamburger Kunsthalle, Elke Walford
Druck: Livonia Print, Riga 2025
ISBN: 978-91-7589-728-8

FSC
www.fsc.org
MIX
Papier | Fördert gute Waldnutzung
FSC® C002795

IN DER ERSTEN Stunde des Abitreffens war Carlo durch eine Verkettung unglücklicher Umstände in die falsche Gruppe geraten, genau wie früher.

Er hatte schon zu Beginn des Gymnasiums gemerkt, dass man sich seine Freunde nicht aussuchen konnte, und zu Beginn des Abends auch wieder: Er hing hier rum mit lauter Jungs, bei denen er sich vor dreißig Jahren geschworen hatte, er würde sie nach der Schule nie wiedersehen. Leute, die damals in der Prüfungsphase mit der Kerze in der Hand von einer Kurt-Cobain-Totenwache zur nächsten geschlichen waren, und jetzt hatten sie mit Windkraftsubventionen so viel Geld gemacht, dass sie unbedingt davon erzählen mussten. Jungs, die sich damals zur Begrüßung gegenseitig in die Eier gehauen hatten, und jetzt erzählten sie, auf welcher Privatuni ihre Kinder studierten. Immer, wenn Carlo sich ein Getränk holen wollte, um abzuhauen, zog ihn einer wieder in die hin- und herschwankende Gruppe von etwas zu lauten Männern und raunte ihm ins Ohr, ob er diese Katrin oder jene Heike heute abend schon gesehen hätte, uiuiuiuiui.

Carlo war diese Art von Austausch schon immer unangenehm gewesen, er hielt sich für feinfühliger als die ihm zugelaufenen Schulfreunde, und er litt darunter, sein wahres Ich nirgendwo ausleben zu können. Dies hatte sich erst in der Oberstufe geändert, als er durch Zufall im Deutsch-LK neben die Neue gesetzt wurde, Juliane aus Hamburg. Ihr Vater machte in Berlin irgendwas bei der Treuhand. Nach ein paar Wochen fingen Juliane und er an, sich in Halbsätzen und manchmal auch nur in ironischen Hmmms oder in erschöpftem Seufzen zu unterhalten, ohne von ihren gelben Reclam-Heften aufzublicken. Je mehr ihm bewusst wurde, dass sie beide einander für die Schlausten im Raum hielten, desto stärker sehnte er jede der drei Doppelstunden Deutsch-LK pro Woche herbei.

Juliane hatte strähniges blondes Haar, schmutzige Fingernägel und roch selbst zur sechsten Stunde, als wäre sie gerade erst aufgestanden. Carlo fand sie wunderschön und war überzeugt, dass sie nichts von ihrer Schönheit wusste, und dass es ein großer Moment für sie sein würde, ein Geschenk, wenn er sie eines Tages beiläufig fragen würde: Weißt du eigentlich, wie schön du bist?

Bis dahin schaute er sie verstohlen von der Seite an, während sie in den Still-Lesephasen mit Hingabe an ihren Nägeln kaute. Als sie merkte, wie er sie anstarrte, hielt sie inne, sah ihn aus dunkelbraunen Augen an, hielt ihm die Hand hin wie eine Tafel Schokolade und fragte: „Auch mal abbeißen?" Carlo beugte sich ein Stück vor und nahm ganz sanft ihre Fingerspitze zwischen die Zähne, da, wo ein Nietnagel überstand. Von den eigentlichen Fingernägeln hätte er nichts mehr zu fassen bekommen, sie waren viel zu kurz. Er nickte anerkennend und sagte: „Danke, lecker." Dann lasen sie weiter, als wäre nichts geschehen. *Emilia Galotti*. Weil sie im LK in einem Tischkreis saßen, hatten die anderen dieses Intermezzo mitbekommen, und von da an machten alle im Kurs einen Bogen um Juliane und ihn. Carlo nahm an, vor Ehrfurcht.

Das Dumme war, dass Carlo damals schon zwei Jahre mit Miriam zusammen war. In der 11. war Miriam schwanger geworden, weil sie sich dumm angestellt hatten mit dem Kondom, und seitdem kam es ihm undenkbar vor, sich von Miriam zu trennen. Nach der Abtreibung hatte sie unglaublichen Heißhunger auf 5-Minuten-Terrine bekommen. Wenn er an diese spezielle Fertigsuppe dachte, schossen ihm noch einige Jahre später die Tränen in die Augen. Er blieb mit Miriam zusammen, bis er 25 war. Juliane zog immer allein durch die Gegend. Aber im Deutsch-LK waren sie jede

Woche sechs Stunden sowas wie das seltsame Kurs-Ehepaar. Es war die schönste Zeit in Carlos Leben.

Das Abitreffen fand im Juni in einer Bar in Mitte statt, und weil die Jungs und er schon draußen standen, konnte Carlo nicht mal mit der Ausrede weggehen, eine rauchen zu wollen. Über die Schulter von einem Holger oder einem Volker sah Carlo, dass Juliane drinnen am Tresen saß, genauso hingefläzt wie früher. Ein Jazztrompeter, dessen Namen Carlo nicht mehr wusste, redete auf sie ein. Juliane spielte geistesabwesend mit einer Haarsträhne und betrachtete die Finger ihrer anderen Hand, als würde sie immer noch Nägel kauen. Als sie hochsah, trafen sich ihre Blicke, und Carlo ging es bis ins Innerste, wie ihre Miene sich aufhellte. Sie klopfte dem Jazztrompeter begütigend auf die Schulter und deutete auf Carlo, dann stand sie auf und kam auf ihn zu. Carlo befreite sich mit Gewalt aus der Schulterpresse von Burkhard und traf genau auf der Eingangsschwelle auf Juliane.

„Na?", sagte sie.

„Das ist so komisch", sagte Carlo. „Genau das wollte ich auch gerade sagen."

Sie lachte. Vor dem Klassentreffen hatte er sich Gedanken darüber gemacht, dass er, seit er aufgehört hatte zu rauchen, zehn Kilo zugenommen hatte, jetzt war ihm alles egal. Er fühlte sich gut. Es lag an Juliane.

„Rein oder raus?“, fragte er.

Juliane zeigte auf eine Bank, die über die Straße am Rand vom Monbijouplatz stand. „Die hab ich für uns reserviert“, sagte sie.

Dann erzählten sie sich die Teile ihres Lebens, die sie jeweils für besonders interessant hielten. Bücher, die sie gelesen hatten. Reisen, die sie unternommen hatten. Sie hatten beide schon mal die Polarlichter gesehen, aber sie waren beide noch nie auf dem Eiffelturm gewesen. Juliane sagte, dass sie keine Sachen machen wollte, für die man sich anstellen musste. Carlo nickte, weil ihm das plötzlich als das ideale Lebensprinzip erschien.

Als ihre Gläser leer waren, ging erst Juliane und beim zweiten Mal Carlo zum Späti am Parkrand, um Prosecco zu holen. Sie tranken abwechselnd aus der ersten und dann aus der zweiten Flasche.

„Und du bist aber noch in Berlin?“, fragte Carlo.

Juliane sagte über ein leichtes Aufstoßen hinweg: „Mit Mühe und Not. Ich muss Ende des Jahres raus, Eigenbedarf. Mal sehen, ob ich im S-Bahn-Ring überhaupt noch was finde.“

Carlo nickte ernst. Sie wohnte also offenbar allein.

„Und du?“, fragte sie ihn. „Wohnst du noch immer da in Kreuzberg, die letzte Wohnung mit Allesbrenner und Klo auf der Etage?“

„Na klar“, sagte Carlo. „You can take the boy out of

Etagenklo. But you can't take the Etagenklo … oder so ähnlich."

„Nee, sag mal im Ernst", sagte Juliane. „Du bist bestimmt nach Zehlendorf gezogen oder sowas."

Carlo war empört. „Ich bin ganz raus aus Berlin", sagte er.

Juliane runzelte die Stirn. „Wegen der Familie? Kinder und so?"

Carlo setzte die Flasche nochmal an und trank, damit sie einen Moment auf seine Antwort warten musste. „Meine Tochter ist groß und studiert in Holland, zweites Semester Psychologie. Und ich bin geschieden."

Juliane nahm ihm die Flasche ab, nuckelte erst ein bisschen nachdenklich an der Öffnung, ohne sie richtig anzusetzen, dann nahm sie einen tiefen Schluck und sah ihm direkt in die Augen. „Ja, ich auch", sagte sie. „Geschieden."

Carlo machte jetzt, wie er sich später im Hotel beglückwünschte, das einzig richtige: Er sagte nichts. Juliane nahm seine Hand und drückte einmal fest zu, dann legte sie ihren Kopf an seine Brust. Der Geruch ihrer Haare verschlug ihm den Atem und die letzten drei Jahrzehnte.

Sie gingen beide nicht nochmal in die Bar zurück, sie pinkelten in zehn Meter Abstand voneinander im Monbijoupark ins Gebüsch und unterhielten sich dabei weiter. Juliane machte Theaterpädagogik und war mit einem Konfliktschlichtungsprojekt für Jugendliche in ganz Deutschland unterwegs. Carlo druckste ein bisschen herum und gab dann zu, dass er nach dem Germanistikstudium in der Wirtschaft gelandet war. Juliane lachte und rief durchs Gebüsch, sie wäre nun seinetwegen in ihre eigene Pfütze gestolpert. Er als BWLer, wenn ihr das vor dreißig Jahren jemand gesagt hätte!

„Firmenkommunikation!", rief Carlo mit übertriebener Empörung, und Juliane musste noch mehr lachen.

Dann wurden sie beide unschlüssig. Juliane musste zur S-Bahn, vom Hackeschen Markt zum Stuttgarter Platz. Carlo begleitete sie. Auf dem Weg hakte sie sich unter. An einer roten Ampel küssten sie sich.

„Wo bist du denn jetzt? Wenn du nicht mehr in Berlin bist?", fragte Juliane, vielleicht, um den Abschied oder die Einladung zu sich nach Hause oder zu ihm ins Hotel hinauszuzögern.

„Friederikenburg", sagte Carlo.

„Das klingt so nett, denke ich jedes Mal, wenn ich das in den Verkehrsmeldungen höre. Wo ist das nochmal genau?"

„Südliches Niedersachen", sagte Carlo und musste selber lachen, weil es sich anhörte, als wäre südliches

Niedersachsen irgendwie besser als irgendein anderer Teil von Niedersachsen.

Juliane löste sich von ihm und griff dann fest nach seinen Oberarmen. „Ist das in der Nähe von Göttingen?"

„Nicht so richtig", sagte Carlo. „Aber auch nicht weit. Vielleicht eine Stunde mit der Regionalbahn." Es klang eigentlich schlimm.

Sie nickte. „Und, wie ist das so in der Kleinstadt, für einen Etagenklo-Boy?"

Er genoss ihren festen Griff an seinen Armen und sagte: „Die Leute da wären empört. Sie haben hundertachtzigtausend Einwohner. Sie werden nicht müde, einem zu erklären, dass man ab hunderttausend Großstadt ist." Und dann, weil seine Tochter da geboren war, und weil er sich an Friederikenburg gewöhnt hatte in den letzten zwanzig Jahren: „Ich mag es da. Ich hab da alles, was ich brauche." Das gefiel ihm. Es klang minimalistisch. Und erwachsen.

„Ich mach nächste Woche einen Workshop in Göttingen", sagte Juliane. „Von Mittwoch bis Freitag. Danach komm ich dich besuchen. Nachgucken, ob das wirklich stimmt mit der Scheidung."

Carlo merkte, dass es ihm besser gefiel und mehr aufregte, als wenn sie jetzt gesagt hätte, ob sie mitkommen könnte in sein Hotel, oder ob er sich ihre Wohnung anschauen wollte. Etwas Schönes, was noch stattfinden würde, ein Geschenk an ihre gemeinsame Zukunft.

„Bitte mach das unbedingt“, sagte er, mit genau dem richtigen Ernst. „Meine Nummer hast du ja jetzt.“

Als er zum Alex lief, bekam er die erste WhatsApp von ihr. „Noch eine gute Woche“, schrieb sie. „Ich mein das ernst. Ich freu mich auf dich. Ich bin gespannt, wo du gelandet bist. Kannst du mir ein Hotel empfehlen? Oder schlaf ich bei dir?“

Carlo stand am Straßenrand der Rosenthaler inmitten einer Traube von Touristen, und an ihren Gesichtern konnte er sehen, dass er vor Freude laut geseufzt hatte.

Beim Aufwachen dachte er einen Moment, das alles wäre vielleicht nicht wirklich passiert. Dann sah er auf sein Telefon und auf die nicht besonders gute Antwort, die er vorm Hotel im Nieselregen an Juliane geschickt hatte: „Wie du magst“ und dahinter, er traute seinen Augen kaum, das rote Herz-Emoji. Er hatte ohne Frühstück gebucht, darum trank er bei Dunkin‘ Donuts in der Friedrichstraße einen Kaffee, bevor er seine Eltern in Wilmersdorf zu einem Streit über seine Scheidung mit anschließendem Mittagessen besuchte. Als die Eltern sich zum Mittagsschlaf hinlegten, lief er voller Unruhe von Wilmersdorf nach Schöneberg, um mit seinem jüngeren Bruder über das Haus der Eltern zu reden. Als Carlo unten vor der Haustür stand und auf das Schnarren des Türöffners wartete, kam endlich die Antwort von Juliane. Um ein Haar hätte er das Telefon in eine Pfütze fallen lassen. „Ankomme Freitag in einer Woche, 14.31 mit dem RE aus Göttingen. Kein Hotel." Kein Herz. Aber es war ihm egal. Es war genauso gut ohne. Es war besser.

„Ich hol dich ab", schrieb er und sagte dann seinem Bruder, es wäre ihm alles egal, wenn es so weit sei mit den Eltern. Sein Bruder sollte verfahren, wie es ihm richtig erschien. Den Eltern eine barrierefreie kleinere Wohnung ans Herz legen oder nicht, das Haus verkaufen oder nicht, Carlo auszahlen oder warten, bis die Eltern tot waren.

„Wieso ist dir das alles egal?", fragte sein Bruder misstrauisch.

„Egal ist das falsche Wort", sagte Carlo und dachte an Juliane. „Es ist nur einfach so, dass du in Berlin bist, in der Nähe, du musst dich eh immer kümmern, ich sitze da in der norddeutschen Idylle und lass dich ja eigentlich im Stich. Du solltest das machen, wie es für dich am besten ist. Ich vertrau dir da."

Sein Bruder nickte nachdenklich. „Norddeutsche Idylle", sagte er. „Na, ich weiß ja nicht, Carlo."

„Arschloch", sagte Carlo.

„Selber", sagte sein Bruder. Dann lachten sie beide.

Als Carlo fünf Stunden nach dem Gespräch mit seinem Bruder in Friederikenburg ankam und aus dem Zug stieg, sah er die Stadt schon mal vorab durch Julianes Augen. Und ihm gefiel, was er sah. Es war noch hell, fast der längste Tag des Jahres, und als er aus dem Bahnhof kam, spielte Friederikenburg den größten Trumpf aus, den es hatte: das Abendlicht auf dem großen, fast ganz leeren Platz zwischen Bahnhof und Herzoginnenschloss. Dieser Platz war mit hellbeigem Kies und dazwischen ebenso zurückhaltend hellen Sandwegen angelegt, der Rasen um die Rokokobrunnen hatte etwa den gleichen Farbton angenommen, wegen der anhaltenden Dürre. Wenn die Sonne niedrig stand wie jetzt, erinnerten die Schatten, die Schlossfassade und die ganze Atmosphäre an ein sachte surreales Gemälde von Giorgio de Chirico. Carlo schluckte, weil er die langen Schatten und die wenigen Menschen und das kaum zweistöckige Schloss so viel schöner fand als alles in Berlin.

Die nächsten Tage verbrachte er damit, mehr schlecht als recht ein paar Vorgespräche für die Begleittexte zum Rechenschaftsbericht der Aktionärsversammlung zu führen, „Keep Moving: Vom Autozulieferer zum Just-in-time Deployment“. In Gedanken und in Wahrheit war er die ganze Zeit damit beschäftigt, das Wochenende mit Juliane vorzubereiten. Im Staatstheater, einem ganz umtriebigen Drei-Sparten-Haus, bei dem Carlo und seine Frau Abonnements hatten, die sie allerdings vor zwei Jahren übernommen hatte, gab es, und hier juchzte Carlo, eine Wiederaufnahme von *Emilia Galotti*. Am Samstagabend. Das war sehr gut, dann konnten sie am Freitag erstmal einen Spaziergang machen, durch sein Friederikenburg, am besten ein Stück an der Friederike entlang, dem Flüsschen, auf dem er früher so gern Kayak gefahren war mit seiner Tochter Lea. Dieser Fluss, den die etwas exzentrische Rokoko-Herzogin Friederike um 1740 nach sich selbst umbenannt hatte, wurde im Volksmund die Fritzi genannt. „Auf eine Kreppelwurst an die Fritzi", das war in Friederikenburg eine stehende Redewendung wie in Berlin „ein Schultheiß am Späti" oder in Hamburg „ein Fischbrötchen auf dem Fischmarkt". Eigentlich hatte der Fluss bis 1740 Bollte geheißen, das war auch ein interessantes Detail. Carlo kicherte.

„Alles in Ordnung, Carlo?", fragte sein Chef und steckte den Kopf durch den Türrahmen. „Ich mach mir immer Sorgen, wenn du so gut drauf bist. Dann stiehlst du mir mit deinen Begleittexten die Show. Denk dran, die Zahlen sind die Stars."

Carlo lachte. „Keine Sorge! Deine Zahlen brauchen jede Hilfe, die sie kriegen können."

Sein Chef zeigte mit dem Finger auf ihn, „Du Schlingel!", klopfte an den Türrahmen und verschwand wieder.

Kreppelwurst, dachte Carlo. Das war überhaupt eine gute Idee. Wenn er Anfang der Woche vorbestellte, konnte er beim Bio-Metzger am Freitagmorgen vor Julianes Ankunft frische Kreppelwurst abholen, und die würden sie dann abends bei ihm in der Wohnung essen. Womöglich im Bett.

Er nahm sein Telefon ab und drückte die Nummer vom Vorzimmer seines Chefs. „Du, Doris. Ich muss nächsten Freitag ab Mittag was regeln, Familienangelegenheit. Machst du mir einen halben Urlaubstag fertig?"

Doris war voller Mitgefühl, weil sich Familienangelegenheit nach alten Eltern oder Scheidungssorgen anhörte, und halbe Urlaubstage vergaß sie eigentlich immer einzubuchen.

Carlo legte auf und merkte, dass sein Gesicht sich vom vielen Lächeln ganz komisch anfühlte. Also, Freitag Spaziergang, Fritzi, Kreppelwurst. Samstag Markt, dann die Ausstellung über vergessene Frauen des Expressionismus im FoMA, dem Friederikenburg Museum of Modern Art, und abends Emilia Galotti. Hoffentlich gab es noch Karten. „Das gerade wäre der Ort, wo ich am tödlichsten zu verwunden bin!", rief Carlo durchs Büro wie Odoardo, als er von der Schwärmerei des Prinzen für Emilia erfährt. Carlo hatte ein hervorragendes Gedächtnis für Textpassagen, die er mit achtzehn, neunzehn gelesen hatte, während Juliane neben ihm gesessen hatte. Er rief direkt beim Südniedersächsischen Staatstheater sNsT an, und zum Glück gab es noch Restkarten: Loge! Und anschließend, da musste man aber nicht anrufen, ins *From Langley Park To Memphis*, das war mit Abstand die beste Bar in Friederikenburg, zwischen Altstadtwall und dem Mediamarkt im Alten Zeughaus. Er freute sich schon auf den Negroni da. Und für Sonntag – da plante er besser nichts. Am Freitag vor der Arbeit würde er für einen vollen Kühlschrank und frische Bettwäsche sorgen, das sollte als Ausrüstung bis Sonntag reichen.

Als Carlo nach diesem Arbeitsmontag mit dem Tourenrad über den westlichen Ring ins Walter Viertel fuhr, benannt nach dem romantischen Heimatdichter Irmfried Walt, wo Carlo vor zwei Jahren in günstiger Entfernung vom Autobahnzubringer eine 2-Zimmer-Scheidungswohnung in einem hübsch verstuckten Gründerzeitbau gefunden hatte, wurde er von einer kleinen Rührung ergriffen. Nach der Scheidung hatte er einen Moment überlegt, zurückzugehen nach Berlin, oder ganz woandershin. Er war ja nun frei. Frau weg, Tochter erwachsen, Hund tot. Aber dann hatte er sich entschieden, in Friederikenburg zu bleiben, wo er an der Gründung einer Familie beteiligt gewesen war, und wo er während der letzten zwanzig Jahre eine angenehm unaufgeregte Karriere gemacht hatte. Carlo verdankte der Stadt was. Und hier war alles, was er brauchte. Die Stadt passte zu ihm, und dieser Moment der Selbsterkenntnis hatte ihn eher erfreut als ernüchtert: Er war erwachsen, er kannte seine Grenzen. Und seine Möglichkeiten. Und er liebte einfach diese trockene Sommerhitze in Südniedersachsen, und mit den Leuten hier kam er auch gut klar. Er schloss sein Fahrrad vor dem Haus an einen schmiedeeisernen Ornament-Poller, hängte den weinroten Fahrradhelm an den Lenker und überlegte, dass er das Gästebett, wo sonst seine Tochter auf Besuch schlief, natürlich perfekt beziehen würde, damit Juliane nicht davon ausging, dass er davon ausging, wo das alles enden würde, in seinem Eins-sechzig-Bett, am Freitagabend.

Die nächsten Tage regnete es, und die große vertrocknete Fläche zwischen Bahnhof und Rokoko-Schloss verwandelte sich in eine matschige Einöde. Man musste einen großen Bogen darum machen, wenn man sich die Schuhe nicht ruinieren wollte. Seit Mittwochmorgen rollten Imbisswägen und zerlegte Fahrgeschäfte auf die so genannte Friederikenwiese, und im Regen bauten fluchende Männer die Attraktionen für die 367. Friederikenburger Kreppeltage auf. Er ärgerte sich, dass er die Kreppeltage vergessen hatte. Eine de-Chirico-Szenerie im Abendlicht wäre ihm lieber gewesen.

Bevor er am Freitag den Bahnhof betrat, brach die Sonne durch, und er nahm sich noch einmal fest vor, Juliane gegenüber nichts übers Wetter zu sagen. Er hatte nicht dreißig Jahre auf sie gewartet, um Smalltalk zu machen. Der Bahnsteig war drückend voll, die Pendler von der Montankasse, die das Land zum Ausgleich für die Hüttenschließungen in den Achtziger Jahren hier angesiedelt hatte, machten freitags immer früh Schluss. Aber es war gut so, denn die Menschenmenge drückte ihm Juliane regelrecht in die Arme, oder Carlo ihr. Sie küsste ihn kurz auf den Mund und setzte die Sonnenbrille dann wieder auf. Sie trug eine dunkelgraue Jeansjacke, ein Courtney-Love-T-Shirt und eine flache schwarze Umhängetasche.

„Ist das alles?“, fragte Carlo und tat so, als würde er kurz versuchen, ihr die Tasche abzunehmen. Er kam sich etwas albern vor, weil er ein blaues Leinensakko überm offenen weißen Hemd trug, aber andererseits war das nun einmal sein Stil.

„Paar Unterhosen, paar T-Shirts, Zahnbürste und iPad“, sagte Juliane. „Mehr brauche ich nicht in meinem Job.“ Sie hakte ihn unter. „Hier ist ja die Hölle los.“

„Ja“, sagte Carlo und versuchte, an das völlig richtige Carlo-und-Juliane-Gefühl von voriger Woche anzuknüpfen, aber heraus kam stattdessen: „Freitag ab eins macht jeder seins.“

„Was?“, fragte Juliane. Dann sah sie die Filiale der Backwarenkette Ditsch im Eingangsbereich des Bahnhofs. „Du, ich hab noch nichts gegessen, und ich hab eine wahnsinnige Schwäche für diese Pizzazungen.“

„Oder wir setzen uns gleich schön irgendwo hin“, sagte Carlo.

„Na gut“, sagte Juliane. „Zeig mir mal deine Stadt.“

Später dachte Carlo, er hätte sie einfach diese verfickte Pizzazungen essen lassen sollen. Mit Salami, mit Tunfisch, Vegetaria mit Mais oder was auch immer, scheißegal, aber dann wäre das alles irgendwie anders abgelaufen.

Der halb aufgebaute Rummel wirkte trostlos und aufdringlich zugleich. Die Fahrgeschäfte, die Losbuden und Stände mit kandierten Äpfeln waren noch nicht fertig installiert, aber als erstes schloss offenbar jeder die Soundanlage an und drehte auf. Wenn man sich gerade damit abgefunden hatte, *Cheri Cheri Lady* von Modern Talking erkannt zu haben, kam einem von der nächsten Ecke *Downtown* von Petula Clark oder etwas Neueres von Bruno Mars dazwischen.

Juliane schaute, als hätte sie schlecht geschlafen und stellte nun infrage, überhaupt aufgestanden zu sein. Carlo wich einer Pfütze aus und sagte: „Du hast das gute Wetter mitgebracht.“

„Und nicht nur das", sagte Juliane, die ihr Gesicht wieder unter Kontrolle hatte. Sie blieb stehen und griff in ihre Umhängetasche. Dann hielt sie ihm ein abgegriffenes gelbes Reclam-Heftchen hin, *Emilia Galotti*. Carlo nahm es ihr aus der Hand und traute seinen Augen nicht. Auf die Rückseite hatte jemand mit Bleistift und gar nicht mal schlecht eine Rose gezeichnet, die dabei war, aus ihrem Blütenkelch zu kotzen. Daneben stand, in feierlichen Druckbuchstaben: „Eine Rose gebrochen, ehe der Sturm sie entblättert."

„Weißt du noch, das hast du mir raufgemalt", sagte Juliane. „Ich mach mit den Jugendlichen immer *Emilia Galotti*. Also, wir dekonstruieren das. E-Mail Galotti, und so."

Carlo fehlten die Worte. Mit dem Daumen fuhr er über den abgegriffenen Schnitt des schmalen Bändchens.

„Das war so eine coole Zeit damals", sagte Juliane.

„Ich hab Karten für morgen", sagte Carlo. „Für *Emilia Galotti*. Im sNsT."

„Im … sonst?"

„Das heißt so. Südniedersächsisches Staatstheater."

„Na endlich. Ich hab damals von der Aufführung im Schillertheater nichts mitbekommen", sagte Juliane. „Ich dachte die ganze Zeit nur, wann nimmt Carlo denn endlich meine Hand."

„Fünfter Aufzug“, sagte Carlo. „Im Lustschloss Dasolo.“

„Ja“, sagte Juliane. „Hat lange gedauert.“

Einen Moment überlegte Carlo, jetzt auch ihre Hand zu nehmen, aber dann dachte er daran, dass sie beide achtundvierzig waren, und der Moment verstrich.

„So. Hunger!“, sagte Juliane.

Das Problem war, dass sein Lieblingsitaliener, das *Ciao Bella Ciao* auf der anderen Seite der Fußgängerzone war, ein ganzes Stück hinterm Schloss. Und er wollte Juliane nicht so gern am Freitagnachmittag die Fußgängerzone zumuten. Aber als sie von weitem die Betonpoller der Parkraumbegrenzung und die Schilder der Kettengeschäfte sah, sagte sie, oh, wie geil, und in so kleinen Städten könnte man super einkaufen, vor allem Socken und Unterwäsche und so Zeug.

„Großstadt“, sagte Carlo mit scherzhaftem Ernst.

„Was?“

„Nach der internationalen Statistikkonferenz von 1887 sind alle Städte über 100.000 Einwohner Großstädte“.

„Sowas denkst du dir doch aus“, sagte Juliane, griff seine Hand und ließ sie auch nicht wieder los, als sie direkt vor dem Schloss standen.

„Rokoko mag ich ja“, sagte sie. „Schauen wir uns das Schloss morgen an?“

Carlo lachte mit einem leichten Unbehagen. „Also,

streng genommen ist das nur die Fassade. Dahinter ist ein Einkaufszentrum."

Sie ließ ihn los und hielt sich die Hand über die Augen, um gegen die Sonne die Schlossfassade zu betrachten. „Wie bitte?"

„Mall of SLS."

„Sag mir bitte nicht, wofür SLS …"

„Southern Lower Saxo- … " Sie hielt ihm die Hand vor den Mund und er schmeckte ihre ungewaschene Haut wie vor über dreißig Jahren, als er ihren Nietnagel abgebissen hatte. „Das ist ja furchtbar", sagte sie. „Das ist wirklich die aller-, allertiefste Provinz hier. Carlo! Also echt."

Er befreite sich. „Das war der Preis dafür, dass die Fassade renoviert werden konnte."

Sie tat so, als wollte sie ihm nochmal den Mund zuhalten, und sagte dann: „Wie hältst du das aus hier?"

Er lachte und wunderte sich, wie ihn das angriff. Zugleich sehnte er sich nach der Berührung ihrer Regionalbahnhand. „Wie hält überhaupt irgendjemand irgendwas aus", sagte er.

„Auch wieder wahr", sagte Juliane und sie gingen weiter.

Zwischen einem Ernsting's family und einer WMF-Filiale blieb Juliane vor einer Gaststätte stehen, die aussah, als wäre sie für Touristen eröffnet worden, die es selten bis hierher schafften. „Ich muss jetzt einfach irgendwas essen", sagte sie.

„Ein Stück weiter gibt es wirklich ein paar schöne Ecken. Richtung Altstadt", sagte Carlo.

„Das läuft uns ja nicht weg", sagte Juliane, eine Spur gereizt. „Aber essen muss ich jetzt sofort. Sonst werde ich hangry."

Sie ließ sich an einen der Draußentische fallen, von denen aus man einen guten Blick auf den Flagshipstore der Modekette *Boston Sunset* hatte. Carlo wollte ihr gerade erklären, dass diese ziemlich bekannte und bei Teenies sehr beliebte Fast-Fashion-Marke ihren Sitz tatsächlich in Friederikenburg hatte, das wusste ja kaum jemand, biss sich aber noch rechtzeitig auf die Lippen. Ein Kellner brachte ihnen große, in Plastik eingebundene Speisekarten, die beim Öffnen eine Art Schmatzen von sich gaben.

„Da braucht ihr gar nicht erst reinzuschauen", sagte der Kellner, „ist doch Kreppelwoche. Wir kreppeln jetzt, was das Zeug hält. Ganz frisch. Auch ...", mit einem Seitenblick auf Juliane, „... auf Feldsalat."

Juliane nahm ihre Sonnenbrille aus dem Haar und schob sie vor die Augen, als müsste sie sich schützen. „Bitte was?"

„Kreppelwoche", wiederholte der Kellner.

„Also die Kreppelwurst ist so eine örtliche ...", hob Carlo an, aber der Kellner unterbrach ihn: „Kreppelwurst."

„Ja", sagte Carlo. „Diese berühmte Friederikenburger Wurst. Mit Estragon und Majoran. Kreppelwurst."

Der Kellner schüttelte geduldig den Kopf. „Kreppelwurst. Kre-ppel-wu-hurst."

„Kreppelwurst", sagte Carlo.

„Das wird Kreppelwurst ausgesprochen", korrigierte ihn der Kellner.

„Ich hätte gern einen gemischten Salat mit Baguette und eine Weißweinschorle", sagte Juliane. „Kein Chardonnay."

„Und mit Kreppelwurst?", fragte der Kellner.

Carlo wand sich auf seinem Stuhl. Juliane betrachtete den Kellner wortlos durch ihre Sonnenbrille. Um die Situation zu entschärfen und den Kellner loszuwerden, sagte Carlo: „Ich nehme auch eine Weißweinschorle. Und eine Kreppelwurst."

Der Kellner nickte mit leichtem Triumph. „Original oder gezockt?"

Weil Carlo sich nicht überwinden konnte, „gezockt" zu sagen, was in Friederikenburg frisch gekocht und dann geflämmt bedeutete, sagte er „original", was vorgekocht und kalt serviert bedeutete. Der Kellner nickte anerkennend und entfernte sich.

„Was zur Hölle ist Kreppelwurst?", sagte Juliane.

„Jede Stadt hat doch so ihre Spezialität", sagte Carlo defensiv.

„Und was ist da drin?"

„Ferkel, Lamm und Kalb“, sagte Carlo nach einem kurzen Zögern. „Also, in der saisonalen. Kreppelwurst.“

„Also, so eine Art Tierkindergarten“.

„Ich wusste nicht, dass du Vegetarierin bist“.

„Nee, aber ich mag meine Tiere einigermaßen volljährig“, sagte Juliane. Dann schwiegen sie, bis ihr Essen kam.

Juliane aß ihren Salat mit einer gewissen putzigen Kaninchenhaftigkeit, mit ganz vielen kleinen Bissen, und Carlo dachte, dass er sie gern eine Pizzazunge hätte essen sehen. Seine kalte Wurst war außerordentlich schwer runterzukriegen, da half auch der traditionelle Malzsenf nicht, der die Wurstscheiben mit einer gewissen verzweifelten Süßlichkeit verhüllte. Er war froh, als Juliane nach einem kurzen Blick auf die schmatzende Speisekarte zwei Zwanziger auf den Tisch legte und sagte: „Komm, lass uns abhauen.“

Auf dem Weg zum Fluss kamen sie am *Ciao Bella Ciao* vorbei und Juliane beugte sich im Gehen leicht zu ihm und sagte mit gedämpfter Stimme, wie sie es früher immer im Deutsch-LK gemacht hatte, wenn jemand anderes etwas richtig Dummes gesagt hatte: „Mit der Kommerzialisierung des Antifaschismus kann man es aber auch wirklich übertreiben, oder?“

Carlo nickte unbehaglich und bekämpfte das Gefühl, dass der Therapeut, den er in der Scheidungsphase aufgesucht hatte, als „unauthentisch" bezeichnet hätte, indem er Juliane an sich zog. Dies fühlte sich noch unauthentischer an, offenbar auch für Juliane. Sie trennten sich voneinander und stolperten zwei, drei Schritte nebeneinander her, bis sie wieder einen Rhythmus fanden.

„Ein bisschen an den Fluss, ins Museum, oder willst du dich in der Wohnung erstmal frisch machen?", fragte Carlo.

„Ich bin frisch genug", sagte Juliane. „Was gibt es denn im Museum? Ritterrüstungen und Hellebarden?"

„Vergessene Malerinnen des Expressionismus", sagte Carlo leichthin, aber mit einem gewissen Stolz.

„Ach, ist das diese von Maya Steinhagen kuratierte Geschichte?", fragte Juliane. Der Name kam Carlo aus der Lokalpresse vage bekannt vor. „Die habe ich voriges Jahr in der Berlinischen Galerie gesehen. Hat mir ganz gut gefallen. Ich wusste gar nicht, dass die noch durch die Republik geht. Würd ich mir aber nochmal anschauen."

„Nee", sagte Carlo. „Das ist doch Quatsch. Ich zeig dir mal lieber die Fritzi."

„Die was?"

„Den Fluss. Die Friederike. Die hieß früher Bollte."

„Okay."

Am Fluss fanden sie eine Weile lang nicht die richtige Bank, weil so viele leer waren. Carlo stellte fest, dass man überall den Autobahnzubringer noch gut oder hier und da sogar besser hören konnte, klar, Rush Hour am Freitagnachmittag. Da, wo sie sich schließlich hinsetzten, war der Verkehrslärm auf diese Weise nah, dass man Fahrzeugarten unterscheiden konnte. Bremsende LKWs, beschleunigende Kleinwagen. Carlo seufzte.

Seit Julianes Ankunft war irgendwie alles aufs Fatalste schiefgelaufen: auf so mittlere Art und Weise nämlich. Nicht so krass, dass man gemeinsam darüber hätte lachen können, aber auch nicht so geringfügig, dass man es hätte ignorieren können. Jetzt saßen sie hier in hin- und herwehendem Verkehrsgeräusch, und die Friederike führte nicht genug Wasser für die Jahreszeit.

„Ist das eine Neuinszenierung?“, fragte Juliane nach einer Weile.

Carlo fragte sich, ob das eine besonders clevere Naturbetrachtung war.

„Die Emilia morgen“, sagte Juliane.

„Ich glaube schon“, sagte Carlo und sah auf seinem Handy nach. Auf der nicht so richtig gut für Mobilgeräte optimierten Seite vom sNsT stand: „Wiederaufnahme von 2003“. Er runzelte die Stirn.

„Hoffentlich nicht so ein Ladenhüter von vor zwanzig Jahren“, sagte Juliane.

Sie hatten sich nicht so richtig was zu sagen, merkte

Carlo, als er das Handy wegpackte, und er litt darunter von Sekunde zu Sekunde mehr, aber dann war es plötzlich ein Glück, denn nach einer schweigenden Weile wandten sie einander im selben Moment die Gesichter zu und fingen nach einer einvernehmlichen Schrecksekunde an, sich zu küssen.

Wie bescheuert, dachte Carlo dabei. Als ob das andere alles wichtig wäre. Schlammwüste, Kreppelwoche, Fußgängerzone, gefaktes Schloss, Kacklokal, Autolärm, Mottenkisten-Emilia, das war doch alles egal, sie waren doch DESWEGEN hier. Er fand, dass sie einander mit der Hingabe und dem Enthusiasmus küssten von Achtzehn-, Neunzehnjährigen. Er schämte sich einen Moment, weil er fürchtete, nach Kreppelwurst zu schmecken, aber dann fuhr ihm Juliane mit der Hand unters Hemd und er nun wiederum ihr, und dann vergaß er alles andere.

„Wo ist denn jetzt deine Wohnung?“, fragte Juliane, als sie sich kurz voneinander lösten.

Als sie seine Wohnung sah, stand die Sonne genau richtig, das Licht im Flur war honigfarben, und im Schlafzimmer, von den Platanen in der Seitenstraße, hellgrün.

„Das gefällt mir bei dir“, sagte Juliane und warf ihre Tasche in die Ecke. „Du hast ja kaum Ikea.“

Carlo zog sie an sich und dachte, dass es daran lag,

weil der nächste Ikea achtzig Kilometer entfernt war.

Als sie im Bett waren, kam es ihm vor, als würden sie nicht an irgendwas anknüpfen von früher, als würden sie nicht die Zeit zurückdrehen oder sowas, als würden sie nicht was nachholen, sondern als würden sie gemeinsam eine ganz neue Zeitrechnung erfinden, ein neues Universum, eine Parallelwelt zu den letzten dreißig Jahren, die sie an diesem Nachmittag mit ihren Körpern füllten. Es war ihm unmöglich, selbst in den leidenschaftlichsten Momenten, solche abstrakten und irgendwie feuilletonistischen Gedanken abzustellen, er nannte es bei sich eine Berufskrankheit – immer bemüht, das Naheliegende durch eine Formulierung noch interessanter zu machen. Andererseits, was wusste er denn schon! Er hatte, wenn er ehrlich war, seit längerer Zeit keinen leidenschaftlichen Moment mehr erlebt.

Als das Schlafzimmerlicht sich Richtung Dunkelgrün entwickelt hatte, hielten sie inne und sahen einander an. Juliane gab ihm noch einmal einen kurzen Kuss und lächelte und legte ihm ihre rauen Handflächen aufs Gesicht. Er tat, als wollte er nach ihren Fingern beißen. Er fuhr mit den Daumen über ihre Augenbrauen und sagte: „Weißt du eigentlich, wie schön du bist?“

Juliane zog eine Augenbraue hoch und sagte mit einem Anflug von Ironie: „Hauptsache, dir gefällt's.“

Es war nicht ganz die Reaktion, die er sich vor dreißig Jahren vorgestellt hatte. Im nächsten Moment sagte Juliane: „Ich hab schon wieder einen Mörderhunger. Ich hatte seit ungefähr fünf Jahren keinen Sex mehr. Ich bin diese Art von Verausgabung nicht mehr gewöhnt." Sie wälzte sich aus dem Bett und stellte sich nackt ins Zimmer. „Ich schau mal, was du im Kühlschrank hast."

Carlo richtete sich auf. „Wir können auch was bestellen", sagte er alarmiert. „Es gibt hier einen guten Italiener, der ..."

„Nee", sagte Juliane. „Der Kühlschrank ist die Visitenkarte des Scheidungsvaters. Ich glaub ja nicht an Horoskope, aber ich glaube an Kühlschrankinhalte. Als Persönlichkeitstest."

„Kennst du dich so gut aus mit Scheidungsvätern?", rief Carlo ihr hinterher und suchte im Aufstehen seine Unterhose, auch wenn das vielleicht unfair war, weil sie ja nackt war, aber er konnte da auch nicht aus seiner Haut.

„Nee", rief Juliane aus der Küche. „Aber mit Essen."

Er hörte das Schmatzen der Kühlschranktür, zweimal. Er setzte sich auf die Bettkante, resigniert.

Juliane kam wieder ins Schlafzimmer, vor sich trug sie auf zwei Händen ein relativ großes Paket, durch dessen Plastikfolie man Metzgerpapier mit dem Aufdruck „+++ Bio? Logisch! + MEAT LOVE + Der

etwas andere Metzger +++" sehen konnte.
„Was ist das?", fragte Juliane.
„Wie gesagt", sagte Carlo. „Wir können auch was bestellen. Beim Ciao Be- ..."
„Ist das diese krepelige Wurst?"
„Kreppelwurst", sagte Carlo.
„Kreppelwurst."
„Ich habe die heute morgen frisch ..."
„Das ist alles, was du im Kühlschrank hast. Also, außer ein offenes Joghurt und mittelalten Gouda."
„Die Wurst ist gar nicht so unlecker", sagte Carlo.
„Die Kreppelwurst", sagte Juliane.
„Ja."
Sie legte das Fleischereipaket auf den kleinen Schreibtisch im Fenster, wo Carlo den Lohnsteuerjahresausgleich machte und die Überweisungen an seine Tochter, dann zog sie sich an.
„Ich kann das nicht, Carlo", sagte Juliane.

Freitagabend fuhr noch ein Intercity nach Wolfsburg, da wollte sie in den vorletzten ICE nach Berlin umsteigen. Irgendwie brach es Carlo das Herz, dass es fast noch hell war, als sie auf dem Bahnsteig standen.
„Tut mir leid wegen der Theaterkarten morgen", sagte Juliane.
„Quatsch", sagte Carlo.
Sie sah ihn an, als wollte sie noch was erklären,

aber dann küsste sie ihn nur kurz auf die Wange und stieg in den Zug. Durch die Scheiben sah er, dass sie nicht mehr nach draußen schaute, als sie sich hinsetzte. Ratlos und angespannt starrte sie auf die Lehne vor sich, als könnte sie es gar nicht erwarten, wegzukommen von Friederikenburg und ihm.

In den nächsten Tagen litt Carlo unter dem Gefühl, bei einem Persönlichkeitstest, der sich nicht nur auf seinen Kühlschrank bezogen hatte, auf ungerechte Weise durchgefallen zu sein. Das schmerzte vor allem am Samstagabend, als er im *From Langley Park to Memphis* allein einen etwas zu süßen Negroni trank, statt ins Theater zu gehen. Glücklicherweise hatte er die Karten an der Abendkasse noch zurückgeben können, das lief oft sehr unkompliziert hier. Erst in den darauffolgenden Jahren verwandelte seine Deutung des Nachmittags mit Juliane sich dahingehend, dass dies letztendlich eben das sehr romantische und sehr leidenschaftliche letzte Kapitel einer großen Jugendliebe war.